WOLFGANG AMADE[

CONCERTO

for Violin and Orchestra
D major/D-Dur/Ré majeur
K 218
Edited by/Herausgegeben von
Rudolf Gerber

Ernst Eulenburg Ltd

London · Mainz · Madrid · New York · Paris · Tokyo · Toronto · Zürich

© *1973 Ernst Eulenburg Ltd., London*

Ernst Eulenburg Ltd
48 Great Marlborough Street
London W1V 2BN

W. A. MOZART

The Violin Concertos

In the winter of 1774-5 Mozart, aged nineteen, was in Munich for the production of his opera *La finta giardiniera*, and on his return to Salzburg in March he very quickly composed *Il Re pastore* which was performed on 23 April. Incredibly, he had already finished the first of the violin concertos that were to be his main achievement in 1775. Between April and December he wrote five (K.207, 211, 216, 218 and 219), and they were the only violin concertos he is known to have completed. At that time it was still usual for concertos and symphonies to be published in sets of six, and Mozart surely planned such a set, but he never finished, and perhaps never began No. 6. The others were not published until they appeared a century later in the Complete Works edition.

It is just possible that what we have of the Concerto in D, K.271(i), was contrived from sketches Mozart made for his sixth concerto. It survives only in a dubious nineteenth-century copy of which the violin part was elaborated, it has been suggested, by the French violinist Baillot. The 'autograph' from which the copy was allegedly made is said to have been dated 16 July 1777, which seems too late for us to accept this concerto as one of the set. The first and third movements are so characterless as they survive, and the violin writing is sometimes so out-of-period, that the problem is of no great importance; only the charming slow movement is likely to give much pleasure today. About 1780 Mozart began a concerto in E flat, K.268, of which he seems to have scored the opening orchestral tutti and sketched the remainder of the first movement. After his death the work was completed without inspiration by a young Munich violinist, Johann Friedrich Eck, and it was published by André about 1800. In addition to the full-length works so far mentioned, Mozart composed for an Italian violinist called Brunetti four single movements for violin and orchestra, one of which is lost. The three that survive were published by André about 1800. Two were replacements for movements in Mozart's own concertos, and the other for a movement in a concerto by some other composer (the Rondo in C of 1781, K.373). There were several violinists at this period named Brunetti, and Einstein[1] thought that Mozart had in mind Gaetano Brunetti who worked mainly in Madrid with Boccherini. But O. E. Deutsch[2] convincingly suggested Antonio Brunetti, who was a member of the Salzburg orchestra and who succeeded Mozart as its leader. In 1776 he persuaded Mozart to write a new Finale for K.207 and a new slow movement for K.219. Mozart may well have written all the completed concertos with Brunetti in mind, though he doubtless played them himself in his capacity as orchestral director at Salzburg. But the comparative ease of the solo parts suggests that he was thinking mainly of publication and performers of less-than-astonishing virtuosity. It is remarkable that the three best concertos all end quietly without any positive gesture to promote applause.

[1]Einstein, A., *Mozart: his Character and his Works* (Oxford, 1945.)
[2]Deutsch, O. E., *Mozart: Die Dokumente seines Lebens* (Kassel, 1961.)

All these concertos and concerto movements except K.268 were scored for oboes, horns and strings, with the oboe players doubling on flutes for the slow movement of K.216 and the alternative slow movement of K.219.

Considering the short span of time during which the five completed concertos were written, it is surprising how much they differ. Though the first is well worth hearing, there is a marked improvement in quality as the series progresses, and also an increase in both exoticism and originality of form. Structural freedom is especially noticeable in the first movement of K.219, and in the finales of this concerto and its two predecessors. These finales all have strongly-contrasting episodes in a new tempo and with a new time signature, and these are unusual features in Mozart's music. In the four Finales in rondo form, Mozart three times spelt the word 'Rondeau', and this accords with the French elements he introduced, which in K.216 and 218 are of a popular or folk nature. First movements show hardly any development of earlier themes in the central section. This is devoted either to figuration passages for the soloist or, as is the case with K.216 and 218, to a new theme, dark in colour and minor in key, which is itself developed. The first movements of the three later concertos are much longer than those of the first two. Slow movements all suggest operatic arias of the kind Mozart had been writing earlier that year.

The autograph of the Concerto in D, K.218, is in the Berliner Staatsbibliothek, and is dated less precisely than the other concertos—October 1775. The chief structural oddity in the first movement is the fact that the opening theme does not appear in the recapitulation (which starts at bar 145). The final Rondeau alternates between two-four and six-eight time, and includes an *alla breve* episode (bar 128ff.) which was seen from the first as a stroke of individuality. In a letter to his son of 6 October 1777 Leopold Mozart described the work as 'your Strassburg Concerto' and said Brunetti had just played it well though with a number of mistakes. Mozart himself used the same title in his reply of 23 October. It seems certain that this gavotte-like episode is based on a tune which he had picked up in Strasbourg on his travels and which he included for its piquant effect.

The score that follows was edited from the autograph in 1933 by Prof. Rudolf Gerber, who changed most of the grace notes into their modern equivalent.

Roger Fiske, 1971

W. A. MOZART

Die Violinkonzerte

Im Winter 1774/5 hielt sich der neunzehnjährige Mozart in München auf, um dort der Inszenierung seiner Oper *La finta giardiniera* beizuwohnen. Im März kehrte er nach Salzburg zurück, wo er in grosser Eile den *Re Pastore* komponierte, der am 23. April aufgeführt wurde. Erstaunlicherweise hatte er ausserdem schon das erste jener Violinkonzerte geschrieben, die, als Ganzes gesehen, sein bedeutendstes Werk des Jahres 1775 darstellen. In der Zeit vom April zum Dezember schrieb er fünf Konzerte (K. 207, 211, 216, 218 und 219), die einzigen, die er, soweit bekannt, vollendet hat. Es war damals noch üblich je sechs Konzerte oder Sinfonien als ein Gesamtwerk zu veröffentlichen, und Mozart hat sicher eine solche Reihe geplant. Er hat jedoch das sechste Konzert nicht vollendet und vielleicht sogar nie begonnen. Die anderen fünf Konzerte wurden erst ein Jahrhundert später als Teil der Gesamtausgabe herausgegeben.

Es besteht eine gewisse Möglichkeit, dass was im Konzert in D-Dur, K. 271 (i) authentisch ist, aus Skizzen zusammengestellt wurde, die Mozart für ein sechstes Konzert gemacht hat. Dieses Konzert hat sich nur in einer zweifelhaften Kopie aus dem neunzehnten Jahrhundert erhalten, dessen Violinstimme der französische Geiger Baillot ausgearbeitet haben soll. Das ,,Originalmanuskript‘‘, das dieser Kopie angeblicherweise zu Grunde liegt, wäre, so heisst es, mit dem Datum 16. Juli 1777 versehen gewesen, doch scheint uns das zu spät, um dieses Konzert als eines der geplanten Reihe von sechs Konzerten anzusehen. Überdies sind erster und letzter Satz, in der Form, in der sie sich erhalten haben, so unbedeutend, und der Stil der Violinstimme ist teilweise so unzeitgemäss, dass das ganze Problem wenig Bedeutung hat. Nur der reizende langsame Satz mag heute noch gefallen. Um 1780 begann Mozart ein Violinkonzert in Es-Dur, K. 268. Anscheinend hat er die Orchesterexposition instrumentiert und den Rest des ersten Satzes skizziert. Nach seinem Tod wurde das Werk von dem jungen Münchner Geiger Johann Friedrich Eck mit wenig Inspiration fertiggeschrieben, und von André ungefähr um 1800 veröffentlicht. Ausser den genannten vollendeten Konzerten hat Mozart noch vier einzelne Sätze für Violine und Orchester für einen italienischen Geiger namens Brunetti geschrieben. Einer dieser Sätze ist verlorengegangen. Die drei erhaltenen Sätze wurden um 1800 von André herausgebracht. Zwei wurden als Alternativen für Sätze in Mozarts eigenen Konzerten komponiert, und der dritte (das Rondo in C-Dur, K. 373, aus dem Jahre 1781) an Stelle eines Satzes für ein Konzert von irgend einem anderen Komponisten. Zu jener Zeit gab es eine Anzahl von Geigern mit dem Namen Brunetti, und Einstein[1] nahm an, dass es sich in diesem Fall um Gaetano Brunetti handelte, der viel mit Boccherini in Madrid zusammengearbeitet hat. Nach O. E. Deutschs[2] überzeugender Annahme war es jedoch Antonio Brunetti, ein Mitglied des Salzburger Orchesters, der später Mozarts Stellung als Konzertmeister übernahm. 1776 bewegte er Mozart dazu, für

[1]Einstein, A., *Mozart: his Character and his Works* (Oxford, 1945; deutsche Ausg. Stockholm, 1947)

[2]Deutsch, O. E., *Mozart: Die Dokumente seines Lebens* (Kassel, 1961.)

das Konzert K. 207 ein neues Finale, und für K. 219 einen neuen langsamen Satz zu schreiben. Es ist durchaus möglich, dass Mozart alle seine vollendeten Violinkonzerte für Brunetti geschrieben hat, obwohl er sie zweifellos in seiner Eigenschaft als Salzburger Konzertmeister auch selbst gespielt hat. Aber die verhältnismässig geringen Schwierigkeiten in der Solostimme mögen darauf hinweisen, dass Mozart vor allem an die Drucklegung der Werke und an Ausführende mit einer nicht allzu erstaunlichen Virtuosität gedacht hat. Jedenfalls ist es bemerkenswert, dass die drei besten Konzerte leise enden, ohne den Applaus durch einen besonderen Effekt herauszufordern.

Alle diese Konzerte und Konzertsätze, mit Ausnahme von K. 268, sind für Oboen, Hörner und Streicher instrumentiert. Im langsamen Satz von K. 216, sowie in dem an Stelle des langsamen Satzes im Konzert K. 219 geschriebenen Stück, hatten die Oboisten Flötenstimmen (auf Flöten) zu spielen.

Wenn man bedenkt, in welcher kurzen Zeitspanne die fünf vollendeten Konzerte geschrieben wurden, kann man über ihre Verschiedenheit nur überrascht sein. Obschon das erste Konzert viel Hörenswertes enthält, lässt sich entschieden ein steter qualitativer Fortschritt bei den späteren Konzerten feststellen; ebenso werden die ausgefallenen Einfälle zahlreicher, und die Originalität der Form nimmt zu. Was die Freiheit der Struktur anbelangt, so ist sie besonders im ersten und letzten Satz des Konzerts K.219 auffallend, sowie in den Finalen dieses und der beiden vorhergehenden Konzerte. Die stark kontrastierenden Episoden mit neuen Tempi und neuen Zeitmassen, wie sie in allen diesen Finalen vorkommen, sind in der mozartschen Musik eine Seltenheit. Die Bezeichnung der vier letzten Sätze in Rondoform hat Mozart dreimal auf französisch „Rondeau" geschrieben, was mit dem französischen Element in diesen Sätzen übereinstimmt, und die in K.216 und 218 dem Typ nach populär sind oder wie Volkslieder klingen. In den ersten Sätzen werden die anfangs gehörten Themen im Mittelteil kaum verarbeitet. Diese Satzteile dienen entweder dem Solisten für seine Figurationspassager oder sie enthalten, wie in K. 216 und 218, ein neues, dunkler getöntes Thema in Moll, das dann seinerseits verarbeitet wird. Die ersten Sätze sind in der drei letzten Konzerte viel länger als in den ersten beiden. Alle langsamen Sätze erinnern in der Art an die Opernarien, die Mozart zu Anfang des Jahres geschrieben hatte.

Das Originalmanuskript des Konzerts in D-Dur, K. 218, befindet sich in der Berliner Staatsbibliothek. Die Datierung, Oktober 1775, ist weniger genau als die der anderen Konzerte. Was im Aufbau des ersten Satzes besonders auffällt, ist, dass das erste Thema in der T. 145 beginnenden Reprise nicht wieder auftritt. Der Rhythmus des letzten Satzes (Rondeau) wechselt zwischen Zweiviertel- und Sechsachteltakten. Das Finale enthält auch eine *alla breve* Episode (T. 128 ff.), die vom Anfang an als originell empfunden wurde. In einem Brief an seinen Sohn vom 6. Oktober 1777 beschrieb Leopold Mozart das Werk als „dein Strassburger Konzert" und fügte hinzu, dass Brunetti es gerade mit einer Anzahl Fehler gespielt hätte.

VII

Mozart hat selbst diesen Titel in seiner Antwort vom 23. Oktober erwähnt. Es ist mit Sicherheit anzunehmen, dass die gavottähnliche Episode auf einer Melodie beruht, die er auf seinen Reisen in Strassburg gehört hat, und die er ihres reizvollen Effekts wegen in das Finale seines Konzerts aufgenommen hat.

Die vorliegende Partitur wurde 1933 von Prof. Rudolf Gerber nach dem Originalmanuskript herausgegeben. Er hat die Vorschläge grösstenteils der modernen Notierung angeglichen.

Roger Fiske, 1971
Deutsche Übersetzung Stefan de Haan

Violin Concerto

I

W. A. Mozart
1756 - 1791
Köchel, No. 218

8

748-2

E E. 4547

140

20

748-*3*

.C

26

748

E.E. 4547

II

Andante cantabile

32

80

*) Triller mit der Hilfsnote beginnend

E.E. 4547

34

50

III

E. E 4547

E. E. 4547

E.E. 4547

E.E. 4547

Andante grazioso

Andante grazioso

Allegro ma non troppo

E.E. 4547

E. E. 4547